너를 그리고 사랑하는
내게 가장 소중한 시간

리시아

너를 그리고 사랑하는 내게 가장 소중한 시간

발 행 | 2023년 12월 08일
저 자 | 리시아
펴낸이 | 한건희
펴낸곳 | 주식회사 부크크
출판사등록 | 2014.07.15.(제2014-16호)
주 소 | 서울특별시 금천구 가산디지털1로 119 SK트윈타워 A동 305호
전 화 | 1670-8316
이메일 | info@bookk.co.kr

ISBN | 979-11-410-5853-1

너를 그리고 사랑하는 내게 가장 소중한 시간

CONTENT

폭우

주르륵 폭우가 쏟아지는 하늘
원래 저 하늘은 내 삶이고 내 마음이었다
천둥번개는 늘 날 불안에 떨게 했었다
이제는 이 날씨가 좋다

주르륵 흐르는 폭우의 비 냄새와 반짝거리는
번개 소리가 다르게 보이고 다르게 느껴진다
내가 널 사랑하는게 고스란히 담긴 것 같다

내가 살아갈 수 있는 이유

그대는 지친 내 하루를 달랠 수 있는
유일한 사람이 때문에

시야

너와 함께 미래를 바라보는 시야
그 시야는 멀지만 그리 멀게 느껴지지 않았다

달

드넓은 하늘에 유난히 반짝이는 별
밤만 되면 하늘에 가로등이 되어지는 달

지치고 힘들고 아플때
모든 순간 나에게 빛이 되어 주는 너

젠가

완벽히 쌓여 올려뒀던 젠가는
우리 사이의 금이 날 때마다
한 개씩 빠진다
70개의 젠가중에 이젠 단 30개 밖에 안남은 젠가는
중심을 못 잡고 흔들거리기 시작했다
하나씩 하나씩 빠져 나가다 이제는
딱 하나만 뽑으면 무너질 것 같은 젠가가 되었다

그 젠가를 다시 하나씩 하나씩 쌓아 올리려다보니
불안하고 초조해 하고 눈치를 보며
알게모를 냉기가 흐르지만
그래도 포기 말고 끝까지 쌓아 올린다는건
더 단단하고 안정적인 젠가를 만들기 위함이다
너도 나도 사랑이라는 감정에 기스가 난 것 뿐이다
지금은 내가 더 너를 사랑할지는 몰라도
차근히 다시 쌓아 올리다 보면 행복했던
그때로 돌아갈 수 있을거라고 나는 믿는다

노력

젠가처럼 무너져 가던 너와 나의 관계
홧김에 내게 한 말은 상처로 남았지만
많은 생각 끝에는 내가 그 상처들을
감당할 수 있을만큼 너를 너무나도 많이 사랑해서
용서 할 수 있다는 결론이 나를 기다리고 있었다

부서지기 일보직전 너는 우여곡절 끝에
다시 내게 돌아와줬다
그리곤 알게모를 냉기에
혼자 오만가지 생각을 하고 불안해했다
하지만 오늘 너와 나눈 카톡 내용을 보고
깨달은 사실이 하나 있다
'너도 아직 나를 많이 사랑하는구나'

무너지려는 젠가를 다시 차근히 쌓아 올리듯
너는 내게 너의 힘이 닿는 곳까지
늘 노력하고 있더라
그래서 나도 나의 힘이 닿는 곳까지 해보고 싶다
너를 무수히 많이 사랑하는 나는 오늘도 어김없이
끊임없는 노력으로 우리의 부서지던
관계를 회복하는 중이다

핫팩

따뜻한 핫팩은 일정 시간이 지나면 식어 버린다
어제 터트린 핫팩은 나에게
아주 큰 깨달음을 알게 해줬다
불타듯 뜨거운 핫팩은 너의 마음 같았다
핫팩을 손에 쥐고 있는내내 마음도
따뜻해지는 듯한 느낌을 받았다
그런데 그 핫팩이 식자 너도 식어 버린 것을
알아차렸다
급히 다른 핫팩이라도 다시 뜨겁게 만들어 보았지만
이미 핫팩의 따뜻한 시간은
끝나 차갑게 식어져가 있었다

너처럼 말이다
너는 뜨거운 핫팩 같다가도 차가운 핫팩 같다
추운건 싫으니까 빨리 따뜻하고 싶어
또 다른 핫팩을 꺼냈다
나에게 남은 핫팩은 이제 없다
따뜻한 온도가 다 끝나기 전에 너와 나의 관계가
더 오래오래 따뜻할 수 있게
더 이상 핫팩을 깔 수도 없고
까지도 않으며 서로의 온도에서 따뜻하게
몸 녹이고 싶다

너와 함께라서

너를 사랑한 시간이 점점 쌓여가는 현재
사랑이 무엇인지 너를 통해 한가지 더 배웠다
정말 진정한 사랑을 한다면
내가 너에게 서운하고 속상하고 상처를 받아도
너의 의미 없는 유머에 웃고 있고
기분을 풀어 주겠다며 잡아준 두손을 지긋히 바라보며
나도 모르는 새에 언제 그랬냐는듯 웃고 있었다

세상을 다 가진 사람처럼 행복해 하고 있었다
그렇게 정신을 챙기고 한가지 생각이 들었다
'나 진짜 너를 많이 사랑하는 중이구나'
너를 사랑하기에 무엇이든 괜찮다
너를 아끼기에 모든 것이 아름답다

너의 존재로 나의 상처와 서운함은
눈이 녹아 내리듯 한 순간 사라졌다
너와 함께라서 천만 다행이다
나라는 사람을 사랑해주는 사람이 너라서 참 다행이다
나에게 희망과 용기가 될 수 있는
너라는 존재를 만난 것은 내게 세상에서

가장 큰 축복인 것만 같다

어디에서도 찾아 볼 수 없는 보석 같은
너를 사랑할 수 있는 사람이 나라서
정말 세상을 다 가진듯이 행복하다
내 인생에 찬란한 빛이 되어줄 너와 함께라서
내 절망에 꽃이 되어줘서 고맙다
하루하루 너를 사랑하는 내 마음은
점점 더 생동적이게 너를 향해 뛴다

모든날 모든 순간

나와 너의 세계는 생각보다 많이 달랐다
너를 보고 그리고 사랑하는 시간이
처음엔 나는 너를 믿을 수도
또 마음을 많이 줄 수도 없었다
내가 살아오면서 만난 인간들은
늘 나를 아프게 하기 바빴기에
너도 그럴거라고 생각했다

하지만 정말 너는 달랐다
너가 알게 해주었다
나에게도 사랑 받을만한 가치가 충분하단걸
누구보다 아름다운 사람이라는 사실들을 말이다

너와 다투는 날들이 많아지며
넌 충분히 나를 두고 떠날 수 있었다
그럼에도 넌 나를 떠나지 않았다
그런 너를 보며 느꼈다
'너는 날 아주 많이 아껴주는구나'
'너는 날 아주 많이 사랑하고 있구나'

널 사랑 할 수 있음에 그저 과분했었던 나날들이
이젠 내가 널 너무 많이 사랑해서
너라는 사람 없이는 내 인생을 살아갈 자신도 없어서
그래서 더 너를 위해 노력 해보고 사랑해 줘야 겠다고
생각하며 너를 떠올렸다

나의 아픔을 늘 보면서도
나의 미숙 행동들을 보면서도
너는 나를 밀쳐 내지 않고
괜찮다고 말해주는 너를
오늘도 아낌없이 사랑한다

그런 너와 나는 평생
모든 날 모든 순간 함께 하고 싶어졌다

유일하게

나는 세상을 살아가면서
그 누구도 지키고 싶은 마음이 든적은 없었다
불안정한 나를 안정적으로 바꿔주는
널 신뢰하며 의지하고 사랑하며
지키고 싶어졌다

너의 신념을 깨가면서 까지
나의 곁을 지켜준 넌
내게 유일한 희망이자
유일히 지키고픈 단 한 사람이다

한 걸음

사랑하는 사람과 함께 걸어 갈 수 있는 걸음은
어떤 이에겐 멀게 느껴질 수도 있고
어떤 이에겐 가깝게 느껴질 수도 있다

너와 나의 걸음은 딱 한걸음만 더 오면
만날 수 있는 가까우면서도 적당한 거리다

이 새벽에

너와 사랑을 하며 적지 않은 고난이 있었다
그때마다 나는 불안에 떨었다
세상에서 가장 사랑하는 사람인
너마저 사라져 버릴까봐 겁났다
다시 혼자가 될까봐 겁났었다

미숙한 나라도 있는 그대로 사랑해주고
한결 같은 너라서
이 새벽에 너와 함께 세상에서 희망과 행복을
얻어가는 시간이 내게는 금보다 더 값진 시간이다

선택

가장 소중한 것 두가지를 두고
선택해야 한다면, 나는...
세상에서 가장 지키고 싶은 것을 선택했다
내게 놓인 선택 두가진
너 그리고 꿈이었다

사실 가장 어려운 선택이었다
그럼에도 내 선택은 너였다
곰곰히 생각해 보았을 때
가장 소중하고 가장 지키고픈 것을 떠올렸다

꿈도 내겐 너무나도 소중했었지만
그게 없이는 잘 살 수 있어도
너 없이는 안되겠더라

너를 만나

여름에 만나 겨울이 되었다
너를 만나 내 계절이 아름다웠다
아플때도 슬플때도 있었지만
결국 언제나 넌 내 옆자리를 늘 지켜줬다

따뜻했다
포근했다
하얀 뭉개 구름에 안겨 있는듯 편안했다
너를 만나 사랑할 수 있다는건
내게 가장 큰 선물이다

너를 만나 많은 것들이 바뀌었고
너를 만나 더 많은 것들을 배웠다
너가 내 곁에 있음에 내 존재는 더 특별해지는 것 같다

합리화

너는 날 사랑하니까
그러니 모든지 용서하고 안아줘야 한다고
이기적이며 배려 없는 생각들로
너를 내 틀 안에 맞춰왔다
그 생각들은 합리화임과 동시에
구걸과 다름이 없는 행동들이었다

이제야 느낀다
가는 말이 고와야 오는 말이 곱다는 속담처럼
내가 너를 존중해야 너도 나를 존중해주는 것이고
내가 너를 배려해야 너도 나를 배려해주는 것이더라
내가 원한다면 내가 먼저 해야 하는게 맞는 이치였다

나를 아프게 하면서 행복하게 해주는 당신

너를 만난 첫 순간
너와 사랑을 시작한지 얼마 안된 시간들엔
내가 행복하기만 할 줄 알았다
못난 나의 행동들 때문에
우리 사이에도 금이 가기 시작했다
너와 행복을 선언하고 미래를 약속하고
모든 것들을 냉정하게 바라보기 시작했다
보다 더 현실 적이고 냉정한 세상과 너와 나를

서로 그렇게 바라보니
내게 너는 쓴 소리도 하기 시작했고
어느새 너도 나에게 채찍과 당근을 주고 있었다
너가 주는 채찍과 당근에는 뼈가 담긴 얘기가 많았고
듣기 싫어 하다가도 어느순간 조금씩 수용하고 있었다

내게 넌 그런 존재인가보다
그 누구보다도 나를 생각해주는 가장 따뜻한 사람
때론 가족 같고, 때론 연인 같은
편안하면서도 포근한 내게 큰 깨달음을 주는 사람
그런 너가 있어 오늘도 하나씩 배워간다

산산조각

모든게 나로인해 무너진 순간
돌아가고 싶어도 이젠 돌아갈 길이 없다
막 다른 길에 서서 나혼자 푸르른 하늘을 바라보며
그리워 하고 슬퍼하며 쓸쓸한 후회를 맞이 한다

멀리서

저 멀리 서서 널 바라봤다
한참이 지나서야 다시 다가갔다
무너지던 우리가 언제 있었냐는듯 넌
나의 손을 잡았고 아무렇지 않게 날 따스히 바라봤다
서로 아무리 맞지 않아도 나 곁을 끝까지 지켜준
널 더욱 사랑할 수 있게 만들었다

수천 개의 가시에 찔려 피가 철철 나는데도
너는 내게 괜찮다며 안부를 먼저 물었고
멀리서 또 다시 바라보는 날
넌 내게 축복임을 다시 알려주었다

흔히 말하는 사랑에는

흔히 말하는 사랑에는 합리화가 있다
사랑이라는 단어를 마치 자물쇠 처럼 생각하고
모든 것들이 당연해진 것이다

진정한 사랑이란
말이 아닌 행동이라고 한다
너가 내게 건내는 행동들은
츤츤 거리면서도 다정하고 자상한 남자다
그런 너와 나는 진정한 사랑을 배워가는 중이다

당신과 함께라면

당신과 함께라면
세상이 두렵지 않아요

당신과 함께하며
더 아름답고 다정한 사랑 할래요

아내

함께 잠을 자고
함께 밥을 먹고
함께 커피를 마시고
모든 시간을 함께 했다

모든 일정을 마치고
침대에 누운 너에게 안마를 해주며 물었다
"내가 최고지?"
그러자 넌
"당연히 우리 와이프가 최고지" 하고 말했다
너가 말한 그 한 문장이
지치고 힘들었던 오늘 내 하루에게 위로를 건내듯
설레이고 행복하게 하는 문장이었다

마카롱

마트에 갔다
화장실을 다녀와 보니
손을 내밀어 보라고 했다

내민 두 손 위엔 마카롱 네 개가 있었다
설레임에 물었다
"뭐야?"
"너 마카롱 좋아하잖아
그날이라 더 먹고 싶을 것 같아서 사왔어"
하며 마카롱 보다 달콤한 말을 건넸다

기다림

퇴근 후 나를 데리러 온다던 너
나를 기다리다 잠이 들었다
몸도 성치 않고 많이 피곤했던
너의 잠은 생각보다 깊었다

늦은 저녁이 다 되도록 답이 없는
채팅만 들여다 보며 무심히 기댜렸다
퇴근 후 펜션 예약을 할 생각으로
기대가 부풀어서인지
너가 없는 집이 무척이나 쓸쓸하고 허전했다
혼자 너를 기다리다 잠들 오늘 밤은 왠지 너무 길었다

세상에서 가장 행복한 여행

처음으로 너와 일 박 여행을 떠났다
처음 가보는 지역
처음 느끼는 감정들
그 모든 것에 너와 함께라서 행복했다
너와 함께 하는 순간들은
마치 슬로우 비디오처럼
나의 기억 속에 한 장씩 선명히 남았다

꽃다운 봄날

사계절 중 가장 적당한 온도
겨울과 봄 사이

너와 가장 찰랑이는 계절
따뜻해지는 봄날

너와 나의 사랑이 가장 행복한 온도
우리가 가장 빛나는 소중한 순간들
우리의 사랑은 아름다운 봄날이다

하루의 정착점

어둡고 캄캄한 밤 거리
작은 별들과 가로등이 비추었다
혼자 거닐던 거리는 숨 막히는 하루의 정착점이었다

혼자가 아닌 둘이 된 지금
너와 걷는 이 거리는
마치 영화의 한 장면처럼 로맨틱 하고 아름다웠다
너와 함께 하는
하루의 끝은 새로운 내일도 설레게 했다

행운아

살면서 한번도 나란 사람 자체로
바라봐준 사람은 없었다
어쩔 수 없이 자연스레 포기 했다
사랑 받으며 행복하게 아니 평범히 사는 인생을

그런 인생을 함께 아파준다며
나란 사람을 온전히 사랑해준 너
나의 짐을 함께 짊어진 너를 만난 나
세상에 둘도 없는 행운이다

해바라기

노오란 꽃잎
기센 바람에도
묵묵히 서있는 해바라기

그대만 바라보는 노오란 꽃잎
어떤 난관에도 우뚝히 서있는 해바라기

나는 그대의 해바라기가 되겠습니다

숲 길

편안한 색으로 물든 숲 길
혼자 아무 생각 없이 걷다보니
그 길 끝엔 그대가 서 있었습니다
내게 가장 따뜻하고 포근한 그대가

말하지 않아도

제대로 된 사랑을 받아본 적 없는 나
한 없이 말해줘야 사랑이라 생각했다
사랑은 그런게 아니더라
진정한 사랑은 말하지 않아도 느껴지는 것이더라
너가 내 곁을 함께 하는 것처럼

맑은 비

맑은 하늘 가운데 손등엔 빗방울이 뚝
눈물인가 땀인가 생각해봐도 빗방울이 확실했다
맑은 날 떨어지는 빗방울은 왠지 모르게 행복하다

내가 너를 떠올리고 보았을 때처럼
쨍한 해 아래 떨어지는 빗방울 처럼
너도 나의 마음을 아주 따뜻한 온도로
감싸 놓아 내리게 했다

아주 맑은 날 가장 따뜻한 온도로

컨트롤

컨트롤 하지 못했다
그 무엇도
결국 화산처럼 폭발했다

너와 나의 관계엔 핵이 던져졌다
돌이킬 수 없었다
핵이 터지기 직전 넌 다시 한번 날 받아줬다
정말 이 사람이 나를 사랑해서 다행이었다

깨달았다
컨트롤은 감정뿐만이 아니라
그 무엇이라도 중요한 것이더라
사랑하는 사람을 지키기 위해서는
나의 이성도 지켜야 한다는 것을
너무 늦게 알아 버렸다

나란 여자

좋아해 라는 말보다
사랑해 라는 말이 더 좋고
보고 싶어 라는 말보다
고마워 라는 말이 더 좋듯
너의 모든게 고맙고 사랑스럽다

네가 툴툴 대다가도
때론 친구 처럼 대하다가도
따뜻하고 이쁜 한마디
사랑한다는 짧은 한 마디에도
금세 어린 아이처럼 입꼬리가 찢어질 듯 웃는다

나란 여자는 너에겐 세상 단순하면서도
그 무엇과도 비교할 수 없이
너의 존재의 감사하며 아주 많이 사랑하는 중이다

행복이라는건

살면서 가장 큰 행복
너와 함께 하는 모든 순간들

나는 너로인해 에너지를 얻고
새로운 하루를 살아간다
너로 인해 힘든 일들이 생기더라도
금방 눈물을 훔치고 일어설 힘이 생긴다

가르침

더 이상 세상이 무섭지 않다
나에겐 가장 소중한 너라는 보금 자리가 있다
네가 있어 비로소 나의 하루 끝자락에 위로가 쌓였다

귓속말

사랑한 기간이 길어질수록
서로에 행동에서 사랑을 느낀다
그 사랑한다는 귓가에 속삭임이 가끔은 듣고 싶다

문득 예상 하지 못한 순간에
사랑한다고 고백해주는 그때엔
두근 거림에 미소를 감추지 못한다

상처

사랑한다는 말로 한 것 포장하고
너를 아프게 하고 있었다
바뀌어야지, 노력해야지 하며
뒤 돌아서면 똑같이 너의 가슴에 피멍 들게 했다

반성하고 후회 하지만 정신 차리고 보면
바보 같이 반복하고 있었다
너를 아프지 않게 해야 하는데
너를 따뜻하게 안아줘야 하는데
나는 너를 아프게 하는 사람이 되어 버렸다

용서

너를 또 아프게 했다
미안하다고 한 번만 봐달라고
노력 해보겠다고 고쳐 보겠다고 빌어보지만
더 이상 나를 향한 신뢰가 없었다
이제 더 이상 아프게 하면 안된다고
내가 바뀌어야 우리가 더 행복할 수 있다고
되뇌어 보아도 결국 제자리 걸음을 하고 있다

너를 사랑하는데
아주 많이 사랑하는데
네가 없는 세상은 상상도 하기 싫은데
난 이 모든걸 자초 하고 있었다
어떻게 하면 너와 더 많이 행복할 수 있냐고
왜 이것 밖에 안 되는 사람이냐고
묻고 따지고 되물어 보아도
끝엔 너에게 용서를 구하고 있다

정말 끝 이라는 결과를 보면 어쩌나
정말 아무 말 없이 사라져 버리면 어쩌나
네가 없는 세상이 현실이 되면 어쩌나
걱정하고 불안해도 할 말이 없다
그땐 이미 너와 마음이
나와 다른 길이 되어 버리고 난 후 일테니까

사랑의 속삭임

미안해
고마워
사랑해
내게 가장 소중한 너에게

환상적인 초여름

너는 나에게 세상에서 가장 아름다운 선물을 한다
그 모든 장소들엔 네가 나를 사랑하는 마음이
고스란히 담긴 듯한 환상적인 초여름의 풍경이었다

보고 싶은 그대여

그대가 유독 보고 싶은 그런 날
보고 있어도 보고 싶은 그런 날
그대의 품에 안기고픈 그런 날
비가 올 듯 말 듯 애매한 그런 날
하루에 너무 치인 그런 날

나는 유독 그대가 더 보고 싶습니다
그대에 품에 안겨 지친 하루를 달래고 싶습니다

익숙해질 때즈음

사랑이란 신기한 감정이다
익숙해지기 전까진 설렘에 잠 못들고
너를 떠올리면 웃음 꽃이 피고
나의 나쁜 모습은 감추려 한다

아직도 많이 부족하고
때론 너에게 짐이 될 때도 있겠지만
너는 한결 같이 따스한 햇살 처럼 안아주고
가끔은 비몽사몽 깨어 나에게 사랑한다 말해주고
세상을 다 가진 듯 입꼬리가 올라가게 만들어 주었다

익숙해질 때즈음
너는 더욱 많이 사랑하고 있을을 보여주었고
우리의 만남에 감사하고 행복함에도 기쁘다
익숙해질 때즈음
우린 서로에게 든든한 배우자가 되어 있었다

입맞춤

살며시 다가온 그대
힘들게 하고 못살게 굴어도
한결 같이 품에 안아주는 그대
그대의 품은 무척이나 따뜻했습니다

입맞춤을 건낸 그대
그대로 인해 사랑 받고 있음을 느낍니다
깨달았습니다
그대가 있기에 더욱 사랑스러운 존재임을

돌려주고 싶습니다
이제 하나씩 바뀌어 보렵니다
나로 인해 그대가 환히 웃을 수 있도록

명심

내가 싫은 것은 상대도 싫은 것이고
내가 짜증 나는 것은 상대도 짜증 나는 것이고
내가 행복한 것은 상대도 행복한 것이고
내가 감정적으로 대응 하면
상대도 감정적으로 대할 수 밖에 없는 것이고
상대가 고쳤으면 하는 것은
나도 고칠 것이 있는 것이다

좀비 사태

뜬금없이 물었다
"좀비 사태가 나면 어떻게 할거야?"
"도망가야지"
"너는 어떻게 할건데?"

그는 이렇게 답했다
"나는 너 키워야지"
사랑한다면 어느 한쪽이 져줘야 한다던데
그 말 뜻이 이거였나보다

평등한 권리

그를 만나고 알았다
나도 소중한 사람이며
사랑 받기 마땅한 사람이란걸

깨달았다
사랑받을만한 가치 따윈 없었다
누구든 가질 수 있는 평등한 권리였다

꽃 밭

고마워요
언제나 부족한 내 곁에
당신이란 꽃을 피워줘서

결혼의 대하여

미래는 어두웠다
없다고 봐도 무방할 정도였다
저어기 멀리서 널 처음 봤을 때
돌 처럼 굳어 있는 내 심장은 다시 뛰기 시작했다

그때에 알았다
'너는 내 미래구나,
너는 날 살아 숨쉬게 하는구나'
우리의 마음은 서로에게 기울고
넌 말했다
"우리 결혼할래?"

가을 바람

여름 넘어 가을
살랑 살랑 바람이 불고
시원하 면서도 푸근한 계절

이 계절이 좋다
이 맘 때즈음 널 만났고
이 맘 때즈음 맡을 수 있는
푸근하고 시원한 바람 냄새

살랑이며 부는 바람 따라
너와 함께 하는 이 순간이
마치 바람 처럼 간지럽고 설레인다

변하지 않는 것

세상에서 변하지 않는 첫번째
'나는 소중하단 것'

세상에서 변하지 않는 두번째
'내가 너를 사랑하는 것'

세상에서 변하지 않는 세번째
'너와 함께 하는 세상은 언제나 든든하다는 것'

인연

붉은 실
인연이라 하죠
그대와 나
운명이라 하죠

그대가 없는 인생이
그려질 수 없을 정도로
난 그대를 사랑합니다
나와 그대가 인연임이
그저 감사합니다

감사

요즘 문득 스쳐드는 생각들

내가 살아 숨 쉴 수 있음에
'감사합니다'

오늘 하루도 이겨낼 수 있음에
'감사합니다'

별 탈 없이 내 곁을 지켜준 그대에게
'감사합니다'

오늘도 변함 없이 나를 사랑해준 그대에게
'감사합니다'

나무

우뚝히 서 있는 나무는
어느 쪽에 치우치기 보단
든든하게 서서 따뜻한 그늘이 되어준다
너의 흔들림 없는 나무 처럼
언제나 내 곁에 우두켜니 서서
나를 지켜준다

때론 현식적으로
때론 공감적으로
때론 묵묵히 건내는 선물로
나의 마음을 달래어 주는 넌
나에게 가장 든든하고 위로가 되는 나무이다

기억

기억한다
너를 처음 만난 날

기억한다
너와 함께하며 웃던 나날들

기억한다
너를 아프게 했던 내 말과 행동들

기억한다
네가 해준 사랑의 고백들

이젠 더 좋은 기억만을 남기고
더 아름다운 나날만을 기약하며
너와 더 사랑하는 추억들만을 기억하고 싶다

나비

날아갈래요
훨훨
그대에 품으로

별 따다 은하수

별을 따줄 것 같았던 너의 첫 인상
누구보다 자상했던 너의 첫 인상
그리고 감출 수 없던 나의 행복

별을 따줄 것 같던 넌
별보다 더 아름답게 빛나는 은하수를 따주었다
누구보다 자상하고 다정하고 츤츤거리던 넌
내 마음 안에 찬란한 빛을 낸
유일한 별 따다 은하수였다

꽃을 보듯

꽃을 보듯 너를 본다
너를 보듯 꽃을 본다
멀리서 볼 때에도 아름답듯
가까이에서 볼 때엔 더욱 아름답다
나를 보듯 꽃을 본다

그렇게 꽃잎을 한 잎씩 띄어내며
소원을 빌었다
내가 사랑하는 만큼
꽃도 나를 사랑하게 해주세요

아픔도 곧 사랑

아픔도 곧 사랑
슬픔도 곧 사랑
너와 다툰 날

언제 그랬냐는 듯
너와 화해한 날
아픔과 슬픔은
연기처럼 사라진 후
따뜻한 너의 온기만 남았다

1년 365일

가장 따뜻하고 설레이던
너와의 초반이 한 달 무렵 지나고
우린 헤어질까, 시간을 가질까 하며
사랑하기에도 모자란 시간을
매일 같이 투닥 거렸다

앞으로 있을 우리의 미래가
처음처럼 설레일 순 없어도

세상에서 가장 따뜻한 둘만의 온도로
어떠한 것보다 가까운 단짝이 되어 있었다

온도

차갑다가도
따뜻하다

따뜻하다가도
차갑다

척

오늘도 척을 했다
괜찮은 척
힘들지 않은 척
상처받지 않은 척

그렇게 척하다 보면
정말 그렇게 되는 것 같다
어찌 보면 최면을 거는 마법 같다
그러다 문득 거울에 비친 나를 마주했다

비친 얼굴을 보자마자 눈물이 흘렀다
정신 차리고 보니 나를 보고 내가 울고 있었고
수 많은 생각들이 스쳐 지나갔다

'괜찮지 않았구나'
'많이 힘들었구나'
'가슴이 아플 정도로 상처 받았구나'

그렇게 척에서 허물을 벗듯 달아났다

못난 모습

못난 모습을 보여도
늘 내 편인 너

못난 모습이라도
늘 내 거인 너

못났건 잘났던 보다
너라는 존재가 더 중요하다

나는 너의 어떤 모습을 사랑하는 것이 아닌
너라는 존재를 사랑하는 것이기 때문에..

시간

되돌릴 수 없는 것
이뤄낼 수 있는 것
사랑할 수 있는 것
배워갈 수 있는 것
기억 할 수 있는 것

무언가를 도전하며
단단한 나무가 될 수 있는 유일한 것

우리가 흘려 보내는 시간이
결코 무의미한 것은 아닐 것이다

그 시간으로 인해 우린 더 행복한 기억을 만들고
그 시간으로 인해 우린 더 아름다운 삶을 꾸려가고
그 시간으로 인해 우린 더 단단한 인생을 꾸려간다

알아주기를

세상에 당연한 것은 없다지만
알아주기를 바랐다
기대하고 바라면
돌아오는건 상처 뿐이라지만
다른 누가 아닌 넌 알아주길 바랐다

너는 이미 알고 있었다
어디가 아픈지
얼마나 힘든지
얼마나 널 생각하고 있는지
말하지 않았을 뿐
너의 행동들은 꾸준히 내게 답하고 있었다

나도 널 사랑한다고
너의 힘듦을 이미 난 알고 있다고
지친 너를 잠이 들 때만큼은
꼭 안아주고 있다는 행동들 말이다

응원

수고했어 오늘 하루도
지친 너의 하루에
자그마한 위로가 되어줄게

힘을 내자 내일 하루도
더욱 빛날 너의 앞날을 응원할게

하루

하루가 흘렀다
또 다른 하루가 기다린다
'그래 나 오늘 하루도 잘 살았다'

내가 살아 있음에
무언가를 해냈음에
엄청나게 알차진 않았어도
소소하고 작은 하루를 보냈음에

그저 나 스스로에게
그저 당신들에게
고맙고 수고했다는 이 한 마딜 전한다

부탁

부탁할게
아프지 마

부탁할게
힘들면 말해줘

난 항상 네 편이니까

몇 마디

너의 몇 마디에
지친 내 하루를 잊었다

너의 몇 마디에
아픈 내 몸은 힘을 내게 되고

너의 몇 마디에
너와 함께 꾸려갈 미래를 생각하며
소소하고 작은 일상들이 기다려진다

너의 몇 마디는
무너지는 나를 일으키는
마법의 한 마디가 되어
나도 모를새 또 한 번에 용기가 되어 있었다

넘어지다

괜찮아
넘어져도

괜찮아
방황해도

괜찮아
사랑에 치여도

그 작은 빛은 언젠간 이 순간을 잊을만큼
찬란히 비춰줄 세상에서 가장 아름다운 진주가 되기를

외로움

외롭다 말하면 한 없이 외롭고
힘들다 말하면 한 없이 힘들고
안된다 말하면 될 것도 안되게 한다

때론 말은 힘이고 자기계발이다
한 없이 외롭다 느낀다면
나란 사람의 생각과 말을
바꾸는 것이 가장 첫 번째 숙제이다

훌륭한

오늘도 훌륭했다, 나
오늘도 훌륭했다, 너
하루를 살아내느라
또 하나의 무언가를 해내느라

추운 날씨에도
묵묵히 이겨내온 나와 너
그리고 우리 모두에게

갈림길

인생에 놓인 갈림길 사이로
어떤 길을 가야 할지 망설이다
서서히 움직이기 시작했다
이 길이 아닌 것 같다는 생각에
다시 돌아가길 반복하고
지름길을 찾아 헤맸다

그러다 한 가지 깨달았다
어떤 갈림길에 놓여있던
또 어떤 길을 선택하던
지름길은 빠르고 좋은 길이라고 착각하게 만들며
혹여 빠르게 목적지에 도착했다 한들
그 시간의 유지력은 뛰어나지 못할 것이란 것을

머물다

누구나 하나쯤 있는 말 못한 속 사정
누군가에게 털어놓고 상처 받느니
나를 가장 잘 알고
나를 가장 사랑 해주는 너가 생각 났다.

온전히 너에게만 머무는 것이
내 마음을 위한 가장 현명한 방법인 것 같다

몽글몽글

너를 몽글몽글 떠올리면
너와 함께 하는 시간들이
위로가 필요할 때 문득 떠오른다

섣부른 판단

일어나지도 않은 미래를 걱정 하는 습관
일어났던 과거로 미래를 판단 하는 습관

그 모든 것들은 섣부른 판단이었다

거짓말의 거짓말

다신 상처 주지 않겠다는 말
너가 싫어하는 행동들을 고치겠다는 말
모두 너에겐 거짓말의 거짓말이었을지도 모른다

네잎 클로버

행운을 가져다 준다는 네잎 클로버
드넓은 풀 밭에서 단 하나만
존재한다는 특별한 클로버

나는 찾았다
너라는 가장 큰 행운

온 마음 다해서

온 마음을 다해서 그대에게
고마워 그리고 미안해

늘 진심으로 사랑했지만
이기적인 내가 준 상처

다시 온 마음을 다해서 지워줄게
행복한 추억들로

이유란 없습니다

그대를 사랑하는 것엔 이유란 없습니다
그대를 원하는 것엔 이유란 없습니다
그저 난 그대라는 존재를 사랑하는 것 뿐
더할나위 없이 행복합니다